les **minipouss**

## Loopings dans la tempête

# BIOGRAPHIE

**L'illustrateur :** Alex Langlois a grandi à Méréville-les-Oies, un petit village de Lorraine. Il a étudié les arts appliqués à Nancy, le stylisme et la communication graphique à Paris et l'illustration à Strasbourg. À l'école primaire, il dessinait déjà des bandes dessinées dans ses cahiers. Aujourd'hui, c'est au sein d'un collectif d'auteurs, l'Institut Pacôme, qu'il les dessine. Et aussi pour la série « Prince Gédéon » (éditions Dupuis). Il illustre également de la presse et des livres jeunesse aux éditions Actes Sud Junior, Larousse, Tourbillon, Albin Michel, Nathan... Pour en savoir plus sur son travail : http://sousmarinrouge.canalblog.com.`

*Pour Elizabeth, qui est née au moment*
*où je finissais cette histoire*

*J. P.*

Titre original : *The Littles to the rescue*
© Texte, 1968, John Peterson
Ouvrage initialement publié par Scholastic Inc., New York (USA)
Tous droits réservés.
Reproduction même partielle interdite.
© 2009, Bayard Éditions pour la traduction française et les illustrations.
Maquette : Guillaume Gombert
Loi n°49-956 du 16 juillet 1949 sur les publications destinées à la jeunesse.
Dépôt légal : septembre 2009
ISBN : 978-2-7470-2922-3
Imprimé en Allemagne

**JOHN PETERSON**

## Loopings dans la tempête

Traduit de l'anglais (US) par Sidonie Van den Dries
Illustré par Alex Langlois

bayard jeunesse

TOM

Lucie

M. Mini

Mme Mini

Oncle Théo

Grandma

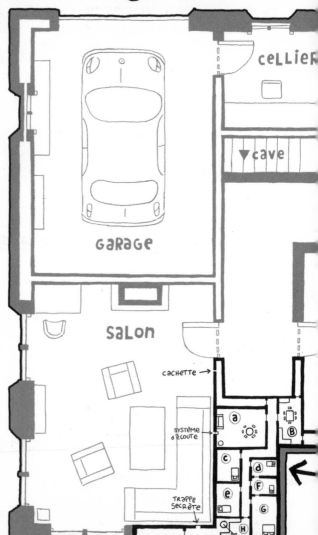

les minipouss

CELLIER

▼cave

GARAGE

SALON

cachette →

SYSTÈME d'écoute

TRAPPE SECRÈTE

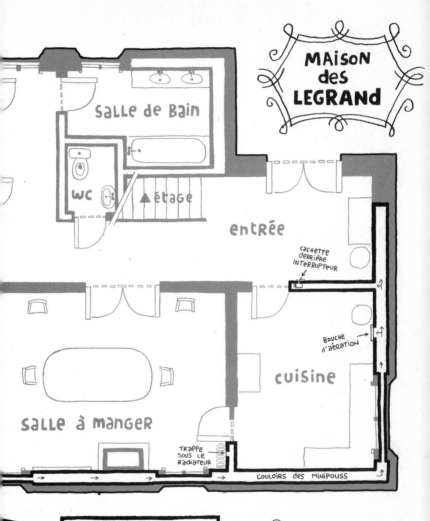

# Un heureux événement

– Hélène, ma chérie, arrête de t'inquiéter, dit William Mini en s'asseyant près de sa femme sur le canapé du salon. Tout est prêt pour l'arrivée du bébé.

– C'est vrai, répond Mme Mini. Sauf que Tante Lily n'est pas là.

M. Mini fait la sourde oreille :

– Et regarde ce que GrandMa a préparé…

GrandMa Mini, assise sur son fauteuil à bascule, sourit à la future maman et brandit des langes en tissu :

– J'ai découpé des couches dans un mouchoir de M. Legrand !

– Tiens, Maman ! s'écrie Tom Mini. Voilà le hochet que je t'avais promis de fabriquer pour le bébé. Je l'ai fait avec une cacahuète et un cure-dents.

Lucie, la petite sœur de Tom, secoue la tête :

– Ce jouet est trop gros. Si le bébé est une fille, elle ne pourra jamais le soulever.

– C'est vrai qu'il est un peu lourd, convient Tom. Mais je n'ai rien trouvé de plus léger.

Il se tourne vers sa mère :

– Dis, Maman, est-ce que les bébés garçons sont plus forts que les bébés filles ?

– J'espère vraiment que ce sera une fille…, murmure Lucie.

M. Mini éclate de rire :

– Patience, mes enfants ! Encore quelques jours et vous serez fixés.

– Oui, enfin… si Tante Lily tarde encore à arriver, gémit Mme Mini, je ne sais pas ce que je vais devenir…

L'oncle Théo frappe le sol avec sa canne, puis il quitte son fauteuil et va en boitant mettre une brindille dans la cheminée.

– J'aimerais bien que Georges Legrand monte le chauffage, ronchonne-t-il. Il n'a pas vu qu'il neigeait, dehors ?

L'oncle Théo et les autres membres de la famille Mini sont des Minipouss : des gens à peu près comme les autres, sauf qu'ils sont tout petits. Pour vous donner une idée, William Mini ne mesure que dix centimètres. Bien sûr, sa fille Lucie, qui a huit ans, est encore plus minuscule : elle fait à peine six centimètres quand elle se hisse sur la pointe des pieds !

La plupart des Minipouss vivent dans les maisons de grandes personnes. Les Mini,

par exemple, occupent un appartement d'une dizaine de pièces caché dans les murs de celle des Legrand, qui ignorent totalement leur existence.

Leur taille n'est pas la seule chose qui différencie les Minipouss des gens comme vous et moi. Ils ont aussi une queue. Cette queue ne leur sert à rien : ils ne peuvent pas l'utiliser pour s'accrocher, ni la remuer s'ils sont contents. Pourtant, ils l'adorent et en prennent grand soin. Ils la peignent, la brossent et font leur possible pour qu'elle ne traîne pas par terre. Quand un Minipouss a la queue qui traîne, on en déduit aussitôt qu'il est malade et on le met au lit, après lui avoir donné un tout petit morceau du cachet d'aspirine familial.

Aujourd'hui, Mme Mini ne laisse pas traîner sa queue, mais elle n'est quand même pas dans son assiette. Lorsque Tom et Lucie sont nés, la tante Lily, qui est infirmière, était venue à la rescousse. Hélène Mini espère qu'elle l'aidera aussi à mettre au monde son troisième enfant. Hélas ! Lily se fait attendre.

– J'ai sorti le berceau en boîte d'allumettes dans lequel dormait Lucie, reprend M. Mini d'un ton enjoué.

– S'il te plaît, Will, arrête, soupire sa femme. Je sais que vous essayez tous de me distraire, mais je ne serai pas rassurée tant que Lily ne sera pas là.

– Je suis sûr que la tempête va bientôt se calmer, continue M. Mini. Alors, le cousin Charlie pourra l'amener dans son avion.

– Pourquoi Charlie ne vole-t-il pas quand il neige ? demande Lucie. Je croyais que son planeur était équipé de skis.

– Voyons, Lucie ! s'exclame Tom. Tu ne voudrais quand même pas qu'il voyage par ce temps !

– Maman a besoin de Tante Lily, proteste
la fillette. Il lui faut une infirmière !

Mme Mini prend la main de sa fille :

– Tom a raison, ma chérie. Charlie ne
peut pas faire voler son avion dans la tempête. Ce serait trop risqué. Tout à l'heure,
quand ton père est sorti sur le toit, il a failli
être emporté par une rafale.

– Tu connais ton cousin, intervient
M. Mini. Courageux comme il est, il n'hé-
siterait pas à braver un ouragan s'il était
seul. Mais il ne va pas mettre sa mère en
danger.

– J'espère bien ! dit Mme Mini.

Elle réfléchit un instant et ajoute :

– On devrait leur téléphoner pour leur conseiller de rester chez eux. Même si je suis pressée que Lily et Charlie arrivent, ça me rassurerait de savoir qu'ils ne font pas de folies.

– C'est une bonne idée, intervient l'oncle Théo. Will, passe un coup de fil à Charlie. Ce garçon a du plomb dans la cervelle… seulement, sa mère est une vraie tête de mule. Si elle se persuade qu'on a besoin d'elle ici, elle risque de l'obliger à sortir.

– J'appellerai ce soir, tranche M. Mini. Charlie et Lily attendront près du téléphone à l'heure convenue. Tom, tu m'accompagneras ? Il faut être deux pour décrocher le combiné.

# Une infirmière passionnée

Au même moment, quatre maisons plus loin, la tante Lily est occupée à lire dans le grenier du docteur Zigger.

Après la mort de son mari, les Mini ont proposé à Lily de venir habiter avec eux dans la maison des Legrand, mais elle a préféré rester chez elle... ou, plus exactement, chez le docteur Zigger.

Le docteur reçoit ses patients chez lui. La tante Lily a appris son métier d'infirmière en le regardant soigner les malades et en dévorant les vieux livres de médecine qu'il conserve dans son grenier. Si elle était partie vivre avec les Mini, adieu les livres et adieu le docteur ! Comment aurait-elle pu continuer à exercer son métier, dans ces conditions ?

Ce jour-là, Tante Lily relit pour la troisième fois son ouvrage préféré, qui traite des bébés. Le gros volume est ouvert sur le parquet du grenier et Lily est perchée sur une

boîte à chaussures pleine de photographies anciennes. Elle tourne les pages à l'aide d'un crayon à papier muni d'une gomme. Avant d'avoir imaginé cette technique, Lily était obligée de descendre de la boîte chaque fois qu'elle avait terminé une page.

Au milieu d'un chapitre passionnant sur les vitamines, Lily se rappelle soudain qu'elle a oublié de préparer son sac.

– Flûte ! Où ai-je la tête ? Je mourrai de honte si j'arrive chez Hélène et Will sans mon matériel d'infirmière !

Elle descend de la boîte et se dirige vers la petite lucarne du grenier.

Derrière la vitre, des flocons tombent en tourbillonnant.

– C'est terrible, murmure-t-elle. Quand s'arrêtera-t-il de neiger ? Hélène va bientôt accoucher, et moi, je suis coincée là !

Elle regarde les arbres blancs au fond du jardin et sourit.

– Si la neige n'était pas aussi magnifique, je détesterais l'hiver !

La tante Lily quitte la fenêtre pour aller chercher son sac.

Chemin faisant, elle s'arrête et se frotte le nez.

– Il y avait autre chose à ne pas oublier… C'était quoi, déjà ?

Elle réfléchit longuement.

– Ah, oui ! Charlie et moi devons attendre près du téléphone à trois heures du matin. Si les Mini ont besoin de moi, ils téléphoneront. Alors, tempête ou pas, j'irai les rejoindre.

# Opération téléphone

À trois heures moins cinq, il neige encore à gros flocons. M. Mini et Tom escaladent le fil du téléphone pour monter sur le guéridon, dans le salon des Legrand. Ils ont bourré leurs poches de morceaux de coton.

– Glissons-les sous l'appareil, à droite, commande M. Mini. C'est l'emplacement du haut-parleur. La ouate étouffera la sonnerie.

– On attend un appel ? s'étonne Tom. Je croyais que c'était nous qui devions téléphoner à Tante Lily et au cousin Charlie pour leur dire de ne pas venir.

– Exact. Mais il vaut mieux prendre nos précautions, au cas où le téléphone sonnerait. Il ne faudrait pas que le bruit réveille les Legrand ! Viens, aide-moi à décrocher.

Le petit homme et son fils soulèvent chacun un côté du combiné et le déplacent légèrement. La tonalité retentit, assourdissante.

– Tom, vite ! fait M. Mini. Grimpe sur le bouton pour couper la ligne.

Le garçon s'empresse d'obéir et le silence revient.

– Maintenant, dit M. Mini, on n'a plus qu'à attendre que la pendule des Legrand indique trois heures. Aussitôt, tu sautes à terre et je compose le numéro du docteur Zigger.

Dans le salon du docteur Zigger, la tante Lily et le cousin Charlie patientent eux aussi près du téléphone. Ils ont bourré le haut-parleur de coton et décroché le combiné. Comme Tom, Charlie s'est perché sur le bouton qui coupe la ligne, tandis que sa mère est debout près du récepteur.

– Je suis sûre qu'ils vont appeler, dit Lily. J'ai le pressentiment que le bébé est en route.

– Il neige encore, signale Charlie. Ne compte pas sur moi pour te conduire chez l'oncle Will par ce temps !

– S'ils appellent, il faudra bien. J'étais là quand Tom et Lucie sont nés, et je serai là aussi pour mettre ce nouveau bébé au monde.

– Maman, proteste Charlie, c'est impossible !

– Tu peux voler dans la tempête, insiste la petite infirmière. Tu l'as déjà fait.

– C'est vrai, mais j'étais seul. C'était différent.

– Je ne vois pas de différence. Si tu peux voler dans la tempête, on peut le faire ensemble, un point c'est tout.

– Pas dans mon planeur, grommelle Charlie. Je n'ai pas l'intention de t'envoyer au cimetière.

– Écoute-moi, mon chéri : si les Mini appellent, c'est qu'Hélène a besoin de moi. Et si elle a besoin de moi, j'irai l'aider. Tu ne veux pas m'emmener en avion ? Eh bien, j'irai à pied !

– Tu n'y arriveras jamais. C'est un voyage qui prend au moins deux jours, par beau temps.

– J'irai quand même.

– Pfff ! soupire le cousin Charlie. Toi, quand tu as une idée derrière la tête…

Soudain, la sonnerie du téléphone retentit. Charlie est tellement distrait qu'il en oublie de sauter du bouton pour décrocher. Il lui faut plusieurs secondes pour réagir.

– Zut ! ronchonne-t-il. J'espère qu'on n'a réveillé personne.

– Allô… Allô ? fait la voix de M. Mini dans le récepteur. Charlie ? Lily ? Qui est à l'appareil ?

La lumière s'allume dans la chambre à coucher du docteur Zigger. Lily et son fils entendent des murmures. Charlie descend précipitamment du téléphone et s'approche du combiné.

– Allô, Oncle Will ? Ici Charlie, chuchote-t-il.

– Bonjour, Charlie ! s'exclame M. Mini. Comment ça va ?

Le jeune homme n'a pas le temps de répondre : la porte de la chambre s'est ouverte et le docteur Zigger apparaît sur le seuil.

Il s'approche en bâillant. Affolés, Lily et Charlie se laissent glisser le long du fil jusqu'au sol, puis ils se cachent sous la table et tendent l'oreille.

– Tiens…, remarque le docteur. Le téléphone est décroché…

Il soulève le combiné.

– Allô ? Qui est à l'appareil ? Quoi ? Un bébé ? Qui va avoir un bébé ?

Il se tait un instant puis reprend :

– Non, je ne suis pas votre cousin Charlie. Vous avez dû composer un mauvais numéro…

– Qui c'est, chéri ? demande Mme Zigger depuis la chambre à coucher. Il y a un souci ?

– Quelqu'un va avoir un bébé, répond le docteur. Mais je ne crois pas que l'appel m'était destiné. Ce doit être une erreur.

Il raccroche et se gratte le menton :

– C'est curieux, tout de même… Le combiné était à côté du téléphone. Je me demande comment l'appel a pu arriver. Zélie, c'est toi qui as décroché le téléphone ?

Pas de réponse. Le docteur Zigger regagne sa chambre en marmonnant :

– Ça alors ! J'aimerais bien être capable de me rendormir aussi vite…

Il tire la porte et éteint la lumière. Aussitôt, la tante Lily attrape son fils par le bras.

– Le bébé arrive ! Charlie, il faut absolument que tu me conduises chez les Mini.

– J'ai du mal à le croire…, fait le jeune homme, la mine sombre. Ils veulent qu'on sorte par ce temps, au péril de notre vie ?

– C'est une urgence, explique Lily. Ils doivent avoir un problème, ou ils n'auraient pas appelé. Ils ont besoin d'une infirmière.

– Tu as sans doute raison, dit Charlie. Prépare tes affaires. On décollera à l'aube. Avec un peu de chance, la tempête sera calmée.

– Ce sera trop tard ! On doit partir tout de suite !

– Oh, Maman ! s'écrie Charlie. Tu te rends compte de ce que tu me demandes ? Je n'ai jamais volé de nuit. Jamais !

# 4

# Un avion dans la tempête

La nuit est d'un noir d'encre et la tempête fait rage ; pourtant, le cousin Charlie s'apprête à faire décoller son planeur pour conduire sa mère chez les Mini.

Le jeune pilote vole généralement d'un toit à un autre, par commodité. Pour décoller, il lui suffit de laisser l'avion dévaler la pente. Une fois dans les airs, il emprunte les courants aériens et va où le vent le porte. Le problème, aujourd'hui, c'est que le vent souffle dans tous les sens.

Le cousin Charlie a beau être un excellent pilote, il n'est pas rassuré. Il n'aime pas prendre de risques, et encore moins quand il est accompagné. Ça tombe vraiment mal que les Mini aient besoin de sa mère en urgence.

– Tiens, Maman, enfile ce parachute ! lui ordonne-t-il.

Charlie vérifie si elle est bien harnachée puis l'entraîne sur le toit, où ils sont accueillis par une rafale chargée de flocons. Le planeur est attaché près de la cheminée.

– On va être
obligés de déblayer une
piste de décollage, dit Charlie.
Sinon, la neige est si épaisse que les
skis de l'avion vont s'enfoncer. Il n'avan-
cera jamais.

Charlie forme une petite boule de neige
qu'il fait rouler sur le toit. Lorsqu'elle est
assez grosse, il l'amène devant le planeur et
la pousse dans la descente. En dégringolant,

la boule grossit encore et dégage une piste bien nette. Les deux Minipouss n'ont plus qu'à grimper dans le cockpit. Lily s'assied derrière son fils.

– Attache ta ceinture, Maman, lui crie Charlie. Ce voyage va être mouvementé !

Il ôte l'hameçon qui arrime le planeur à la cheminée et l'avion entame sa descente. Quand il arrive au bord du toit, Charlie actionne les volets des ailes. L'appareil s'élève dans les airs au-dessus du jardin du docteur Zigger.

Charlie constate avec surprise que voler dans le noir ne lui pose aucun problème. Comme toujours, il pilote à l'instinct. Sa mère, quant à elle, s'extasie sur les lumières des maisons en contrebas :

– Oh, mon chéri ! Je n'ai jamais rien vu d'aussi beau !

Le planeur décrit un large cercle et monte encore. Bientôt, le jeune pilote croit distinguer la lumière que M. Legrand laisse toujours allumée dans son entrée. Il tente d'orienter l'avion dans cette direction, mais le vent le fait tourbillonner et l'emporte comme une feuille morte. Charlie a toutes les peines du monde à le manœuvrer. Il a beau résister de toutes ses forces, l'appareil est incontrôlable. C'est un miracle qu'il ne s'écrase pas.

– C'est trop nul ! s'emporte le jeune Minipouss. Je ne volerai plus jamais dans la tempête !

Le vent entraîne le planeur vers un sous-bois, situé non loin du jardin des Legrand. Les arbres noirs tendent leurs branches vers lui, telles des mains géantes. Soudain, le petit avion est pris dans une bourrasque et s'incline dangereusement. Charlie fait son possible pour éviter qu'il ne se renverse tout à fait.

Peu après, il aperçoit le toit des Legrand au-dessous de lui. Il tire sur une manette, et deux parachutes fixés au corps de l'appareil se déploient. Fonctionnant comme des freins, ils immobilisent l'avion dans la neige poudreuse.

Charlie descend du cockpit et se dépêche de récupérer les parachutes. Puis il plante l'hameçon entre deux briques de la cheminée.

– On a réussi, Maman ! On a réussi ! crie-t-il en grimpant sur une aile pour aider sa mère à descendre.

Mais le siège de Lily est vide.

# 5

# Les secours s'organisent

Au lever du jour, quand il cesse enfin de neiger, Charlie est épuisé. Toute la nuit, il a volé dans la tourmente pour tenter de retrouver sa mère. Il a refait plusieurs fois le trajet entre la maison des Legrand et celle du docteur Zigger, en rase-mottes. Juste avant l'aube, il a repéré le parachute de Lily dans le sous-bois situé entre les deux maisons. La mort dans l'âme, il s'est résigné à retourner chez les Mini pour leur raconter ce qui s'était passé et leur demander de l'aide. Toute la famille s'est assise autour de la table de la salle à manger pour discuter de ce qu'il convient de faire.

Mme Mini leur prépare un chocolat chaud : un reste du goûter d'Éric, le fils des Legrand. Les Mini ont l'habitude de terminer les restes de leurs propriétaires ; ils se servent en catimini, quand ces derniers ne les voient pas. En échange, ils leur rendent service en réparant les canalisations et les fils électriques qui courent dans les murs.

Le cousin Charlie, désespéré, est assis la tête entre les mains. L'oncle Théo lui tapote l'épaule :

– On va la tirer de là, Charlie. Je te le promets !

– Tu vas boire un bon cacao, mon garçon, dit GrandMa. Ça te redonnera des forces.

– Au moins, on sait où Lily a atterri, remarque M. Mini. Et on a la preuve qu'elle a ouvert son parachute. Ça pourrait être pire.

Malgré ces paroles réconfortantes, le jeune homme reste prostré.

– Si seulement j'avais pu me poser près de l'endroit où Maman a atterri! se lamente-t-il. Hélas, les arbres sont trop rapprochés dans cette partie du bois. Je suis étonné que son parachute ne se soit pas pris dans les branches.

Sans attendre de réponse, Charlie continue de ruminer :

– Elle est dehors, dans la tempête, depuis
quatre heures du matin. Imaginez qu'elle
soit blessée...

– C'est terrible, admet M. Mini. Je suis
vraiment désolé que notre coup de fil ait été
mal interprété ! Dire qu'on appelait pour
vous conseiller de ne pas sortir...

– Tu dois être mort de fatigue, Charlie,
intervient GrandMa. Va te reposer.

– Pas tant que je n'aurai pas retrouvé
Maman, s'entête le jeune homme. Je dor-
mirai plus tard.

– Est-ce que Tante Lily a atterri près de
chez les Modeste ? demande soudain Tom.

Les Modeste sont des Minipouss très
sympathiques qui vivent dans le bois, à l'intérieur d'un gros chêne[1].

---

1. La famille Mini et la famille Modeste se sont rencontrées dans
la deuxième aventure des Minipouss, *Le jardin de tous les dangers*.

Charlie secoue la tête :

– Le parachute était au sud-est de leur arbre… assez loin, je crois.

– Je propose qu'on leur rende quand même une petite visite, dit M. Mini. Qui sait : peut-être que Corto pourra nous aider… Même s'il ne s'éloigne guère de chez lui en hiver, il sera mieux informé que nous sur ce qui se passe dans le bois.

– Je m'en veux de vous causer tant de soucis, gémit le cousin Charlie. Si ça se trouve, Maman est déjà… Enfin, on risque de…

– Tante Lily va bien ! le coupe Lucie. J'en suis sûre !

– On s'expose à de grands dangers en partant à sa recherche, insiste Charlie. Je suis confus de vous demander votre aide…

Cette fois, c'est l'oncle Théo qui l'interrompt :

– Tu ne nous demandes rien, Charlie. C'est nous qui t'offrons de t'aider. Ta mère et toi, vous faites partie de la famille !

Tous les autres approuvent. L'oncle Théo frappe le sol avec sa canne et se lève.

– Allons-y ! Allons sortir Lily de ce bois !

– Je vais chercher Clochette, dit Tom en fonçant vers la porte.

– Attends ! s'écrie l'oncle Théo. Laisse cette chatte où elle est. Elle ne fera que nous attirer des ennuis.

– Mais non, proteste Tom. Clochette m'obéit au doigt et à l'œil.

– Tom a raison, intervient M. Mini. On a besoin du chat. La neige est profonde. Même avec de bonnes chaussures, on aura du mal à atteindre le bois par nos propres moyens.

– C'est vrai, confirme le cousin Charlie. On ira bien plus vite sur son dos. Et le temps presse. Vas-y, Tom !

Le jeune Minipouss part en courant. M. Mini se tourne vers l'oncle Théo.

– Tu devrais peut-être rester ici pour veiller sur Hélène, GrandMa et Lucie, suggère-t-il.

Le vieil homme abat son poing sur la table.

– Quoi ? rugit-il. Tu veux que je reste ici avec les femmes ?

– Je n'ai pas dit « rester avec elles », mais « veiller sur elles », précise M. Mini.

– Ah, c'est différent, admet l'oncle Théo. Mais vous aurez besoin de mon expérience face à l'adversité. Tom peut s'occuper des femmes. Ce sera un bon entraînement pour lui.

– Tom est le seul à qui la chatte obéit, rappelle Charlie.

– Je lui dirai ce qu'elle doit faire, assure l'oncle Théo. Après tout, ce n'est qu'un animal domestique.

– Partez tous ! tranche GrandMa. Les femmes Mini sont parfaitement capables de se débrouiller seules.

– Moi, je n'ai peur de rien ! confirme Lucie.

Mme Mini hoche la tête, dubitative :

– J'aimerais bien que Tante Lily soit là, quand même. Je m'inquiète beaucoup pour elle…

– Vous avez entendu, les garçons ? claironne GrandMa. Qu'est-ce que vous attendez ? On va bientôt avoir besoin de Lily, ici !

# Une minette très occupée

Tom trouve Clochette dans la chambre d'Éric Legrand. Éric a dix ans comme lui, et les deux garçons ont beaucoup de goûts en commun. Par exemple, Éric joue souvent aux astronautes avec ses copains, un jeu que Tom adore aussi. Tom et Lucie Mini connaissent Éric Legrand depuis qu'ils sont tout petits. Ils ont passé des heures à l'observer, et ils en auraient passé encore davantage si leurs parents les avaient laissé faire.

Éric, bien sûr, ignore l'existence des enfants Mini. Les Minipouss ont pour règle de ne jamais se montrer aux grandes personnes. Les Mini aiment bien les Legrand, mais ils ne leur font pas confiance. Qui sait comment ils réagiraient s'ils apprenaient que des gens minuscules vivent dans leurs murs ?

Lorsqu'il découvre Clochette en compagnie du garçon, Tom comprend que la partie n'est pas gagnée. La chatte, couchée sur le ventre d'Éric, donne des coups de patte dans une petite balle attachée à une raquette qu'il tient au-dessus d'elle.

– Zut ! peste le jeune Minipouss. Comment prévenir Clochette qu'on a besoin d'elle ?

En général, Tom appelle la minette en sifflant discrètement, mais aujourd'hui il n'ose pas, de peur qu'Éric l'entende. Il réfléchit à un autre moyen d'attirer son attention, quand il remarque la perruche d'Éric, enfermée dans une cage près de la fenêtre.

« Si je la libère, se dit-il, Éric va se lever pour essayer de l'attraper. Je profiterai de sa distraction pour siffler Clochette. »

Il se hisse discrètement jusqu'à la cage et ôte la petite baguette qui ferme la porte. À peine celle-ci est-elle ouverte que l'oiseau s'échappe à tire-d'aile. En voyant la perruche voleter au-dessus de lui, Éric bondit sur ses pieds et commence à la prendre en chasse. La chatte regarde autour d'elle d'un air féroce. Tom saute du rebord de la fenêtre sur le lit et se pend à son cou.

– Clochette, vite ! Descends à la cave, lui ordonne-t-il.

Hélas, la minette vient de voir l'oiseau et s'élance ! Tom s'agrippe tant bien que mal à sa fourrure. D'un bond, Clochette franchit la moitié de la pièce pour atterrir sur la commode d'Éric. L'oiseau vert et jaune, affolé, se cogne dans les murs et dans les vitres, cherchant désespérément la sortie. Éric grimpe sur les meubles pour tenter de l'attraper. Clochette saute de la commode sur le bureau, puis de nouveau sur le lit. Tom a mal au cœur ; il ferme les yeux et s'accroche de plus belle. Éric s'aperçoit alors que la chatte a repéré l'oiseau.

– Maman ! crie-t-il. Sors Clochette de ma chambre ! J'essaie de remettre la perruche dans sa cage.

Mme Legrand arrive en courant. Tom hésite : il n'ose pas lâcher prise de peur de se rompre le cou, mais s'il reste où il est, Mme Legrand risque de le voir. Il n'a pas le choix : il lui faut se cacher dans la fourrure de Clochette. Avec mille précautions, et au prix d'un effort surhumain, il se laisse descendre jusque sous le ventre de l'animal et patiente. Ses bras le font affreusement souffrir. Il sait qu'il ne tiendra pas très long-temps.

« S'il vous plaît, madame Legrand, faites quelque chose ! » implore-t-il en silence.

Enfin, alors qu'il est à bout de forces, la mère d'Éric prend la chatte dans ses bras et l'emporte dans l'escalier.

Un instant plus tard, une porte claque et Tom se retrouve dans l'obscurité. Il soupire

de soulagement en comprenant que la maîtresse de maison les a enfermés dans la
cave, Clochette et lui. Ça tombe bien : c'est
justement là qu'il avait prévu de conduire
la minette !

# Pas de fumée sans feu

Quand la tante Lily est tombée de l'avion, sa première pensée a été : « Zut ! je vais mourir parce que j'ai désobéi à mon fils : je n'ai pas attaché ma ceinture de sécurité. » Et la seconde : « C'est malin ! Qui va aider Hélène à mettre son bébé au monde, maintenant ? » Elle ne s'est rappelé qu'elle avait un parachute que quand il s'est ouvert avec un grand *flof !* et a freiné sa chute vertigineuse.

— Bon, a-t-elle dit, je ne vais pas mourir, mais j'aimerais bien savoir comment on fait atterrir ce truc plus vite.

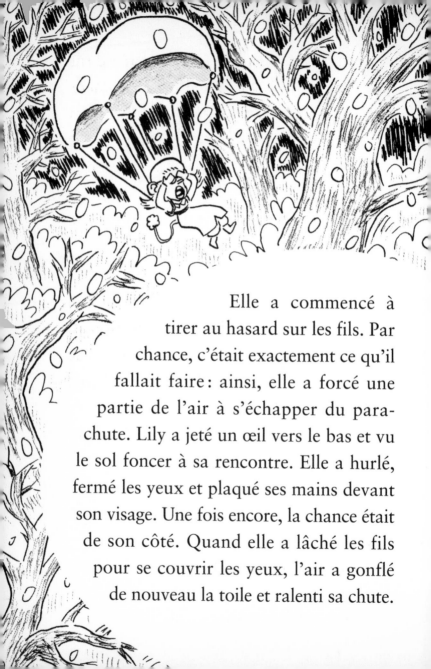

Elle a commencé à tirer au hasard sur les fils. Par chance, c'était exactement ce qu'il fallait faire : ainsi, elle a forcé une partie de l'air à s'échapper du parachute. Lily a jeté un œil vers le bas et vu le sol foncer à sa rencontre. Elle a hurlé, fermé les yeux et plaqué ses mains devant son visage. Une fois encore, la chance était de son côté. Quand elle a lâché les fils pour se couvrir les yeux, l'air a gonflé de nouveau la toile et ralenti sa chute.

La petite infirmière est tombée dans un buisson. Ses habits sont déchirés, mais elle n'est pas blessée. Le parachute est enchevêtré dans les broussailles. Lily tire en vain sur les fils pour descendre jusqu'au sol.

« Pourquoi je m'embête ? songe-t-elle soudain. J'ai ce qu'il me faut. »

Elle fouille dans son sac à la recherche de ses ciseaux et coupe un à un les fils du parachute. Quand le dernier est sectionné, elle dégringole dans le buisson et se retrouve sur le derrière. Elle a aussitôt une drôle de sensation.

– C'est étrange, murmure-t-elle. On dirait que la neige est chaude.

Elle renifle.

– Ça alors, ça sent la fumée ! Est-ce que j'aurais pris feu ?

Elle se lève d'un bond et observe l'endroit où elle était assise.

– Sapristi ! s'écrie-t-elle. Une cheminée !

La tante Lily a atterri tout près d'un trou percé dans le sol. Quelque part, sous terre, quelqu'un doit faire du feu. La petite infirmière regarde dans l'orifice, mais elle ne voit rien. Elle se penche davantage et fait tomber de la neige dans le trou.

– Coucou ! crie-t-elle. Il y a quelqu'un ? Vous m'entendez ?

Elle se frotte les mains au-dessus de la fumée tiède.

– Bon, au moins, je ne vais pas mourir de froid ! marmonne-t-elle.

Elle réfléchit un instant, puis ajoute :

– Si seulement Charlie était avec moi ! Il saurait quoi faire, lui…

Soudain, elle a l'impression qu'on l'espionne. Elle scrute l'obscurité.

– Qui est là ? chuchote-t-elle.

Une ombre remue. Lily entend un bruit derrière elle. Elle fait volte-face et voit une

autre silhouette sombre se déplacer rapide-
ment.

– Qui êtes-vous ? demande-t-elle, inquiète.

Au même instant, trois individus fondent
sur elle. Lily hurle tandis qu'on la pousse à
l'intérieur d'un grand sac en toile.

– On en tient un ! fait une voix rauque.
On a capturé un Minipouss des arbres !

# La traversée du bois

De très bon matin, les Mini partent à la recherche de la tante Lily. Tout est couvert de neige. Les hommes de la famille sont juchés sur le dos de Clochette. Tom, à califourchon sur son cou, lui parle et tire doucement sur ses oreilles pour la diriger. La minette avance lentement, en levant les pattes bien haut.

Le cousin Charlie, assis derrière Tom, regarde vers le petit bois et songe qu'il aurait adoré vivre cette aventure si sa mère n'était pas en danger. Derrière lui, M. Mini étudie une carte. L'oncle Théo vient en dernier. Installé sur la croupe de la chatte, il est emmitouflé dans un grand manteau et armé jusqu'aux dents. Les autres aussi sont armés : M. Mini a emporté une épée ; Charlie, un arc et des flèches. Quant à Tom, il a un pétard qui appartenait à Éric Legrand. Chacun est également équipé d'une allumette et d'une bougie d'anniversaire.

M. Mini quitte un instant sa carte des yeux et indique un passage entre deux arbres.

– Par ici, Tom.

La neige est si épaisse que le garçon peine à distinguer le chemin. La petite troupe se dirige vers l'arbre de Corto Modeste et des siens. Les deux familles de Minipouss ont fait connaissance l'été précédent, un jour où les Mini s'étaient perdus dans le bois.

Les Modeste sont des gens très indépendants, qui ont choisi de vivre à l'écart des grandes personnes. Ils habitent dans la branche la plus basse d'un gros chêne, où l'arrière-grand-père de Corto a jadis creusé un appartement de huit pièces. Ils se débrouillent par leurs propres moyens et passent toute la belle saison à se préparer pour l'hiver en amassant des provisions.

Pendant une demi-heure, Clochette avance dans la neige. Elle semble savoir mieux que Tom où est le sentier.

– Voilà l'arbre des Modeste ! s'écrie soudain le jeune Minipouss. C'est drôle : il est très différent, en hiver !

– Comment fait-on pour monter chez eux ? demande Charlie, qui vient pour la première fois.

– Un escalier est sculpté dans le tronc, explique M. Mini, mais on ne le voit que de près.

Les Mini descendent de leur monture et grimpent sur une racine qui dépasse de la neige.

– Reste là, Clochette, ordonne Tom. Attends-nous !

Les quatre Minipouss gravissent l'interminable escalier qui mène à la porte des Modeste. Sur le côté, une minuscule ficelle sort d'un trou. Quand M. Mini tire dessus, une clochette tinte à l'intérieur de l'arbre. Quelques secondes plus tard, M. Modeste apparaît sur le seuil.

# Retrouvailles

– Youpi ! Une invasion de Minipouss de maison ! s'écrie le petit homme trapu. Quelle merveilleuse surprise ! La famille Mini !

Corto Modeste serre la main de ses visiteurs et les invite à entrer.

M. Mini lui présente le cousin Charlie.

– C'est donc vous, le célèbre aviateur ! fait M. Modeste. Enchanté ! Chérie, viens vite ! On a de la visite.

Mme Modeste arrive en trottinant, sui-
vie par ses deux filles, Annie et Janie. Ces
dernières entraînent aussitôt Tom dans la
cuisine pour lui offrir une tasse de tisane de
sauge.

– On terminait notre petit déjeuner, dit
la maîtresse de maison. Je vais mettre
quatre couverts de plus, si vous voulez vous
joindre à nous.

– Ce serait avec plaisir, répond M. Mini, mais nous ne pouvons pas rester. Nous recherchons la mère de Charlie, qui s'est perdue dans le bois. C'est pour ça que nous nous sommes aventurés jusque chez vous par ce temps.

William Mini raconte à la famille Modeste que la tante Lily est tombée de l'avion et qu'elle a atterri au sud-est de leur chêne.

– On espérait que vous pourriez nous donner des informations, conclut-il.

Embarrassé, Corto Modeste se racle la gorge.

– Je crains qu'elle ne coure un grand danger, murmure-t-il.

– Comment ça ? demande l'oncle Théo.

– Mon garçon, tu vas devoir être courageux, dit Corto au cousin Charlie. Si ta mère est toujours en vie, il se peut qu'elle ait été capturée par des Minipouss de terre.

– Des Minipouss de terre ? répètent l'oncle Théo et le cousin Charlie d'une même voix.

– Les Minipouss de terre sont des gens tout petits, comme nous, explique Corto. D'après ce qu'on sait, ils vivraient dans des terriers et seraient très dangereux.

– Ils *seraient*, souligne le cousin Charlie. N'en êtes-vous pas sûr ?

– Tous les Minipouss des bois partis chasser dans cette partie de la forêt ont disparu…, raconte sombrement Corto.

– Personne n'a jamais vu un Minipouss de terre de près, ajoute Mme Modeste.

– Ce sont des gens sournois, déclare son mari. Quand on s'approche d'eux, ils se sauvent comme des lapins.

– Peut-être qu'ils sont juste timides, suggère M. Mini.

L'oncle Théo pose une main sur la poignée de son épée et s'exclame :

– Si on veut récupérer Lily, on va devoir combattre !

Pendant ce temps, dans la cuisine, Tom termine sa seconde tasse de tisane.

– Comment avez-vous fait pour arriver jusqu'ici, avec la neige ? lui demande Annie Modeste en rapprochant sa chaise de la sienne.

Annie, qui a un an de plus que le garçon, a un petit faible pour lui.

– On est venus sur le dos de Clochette, ma chatte, dit Tom avant d'éloigner sa chaise.

Janie Modeste saute sur ses pieds.

– Où est-elle ? On peut la voir ?

– Elle nous attend au pied de l'arbre.

Janie court vers une fenêtre. Elle actionne une manivelle et un volet d'écorce s'ouvre.

– Comme elle est belle ! s'extasie Janie en découvrant Clochette.

– Elle est bien portante…, commente Annie.

– Ah bon ? fait Tom, un peu vexé.

– Attention, il y a quelqu'un près d'elle ! signale Janie.

– Aïe ! dit Tom. Deux enfants et un chien…

Il court prévenir les adultes. Peu après, les Mini et les Modeste se bousculent devant la fenêtre.

– Que se passe-t-il ? se renseigne William Mini, resté en retrait.

– La chatte est toujours là, l'informe Corto Modeste. Elle n'a pas vu le chien.

– Le chien ne l'a pas repérée non plus, remarque Tom.

– Je ne vois rien ! se fâche Janie.

– Le chien renifle partout, rapporte l'oncle Théo.

Soudain, les spectateurs poussent un cri étouffé.

– Elle est partie par là ! s'exclame Corto
Modeste.

Tous se précipitent de l'autre côté de la
pièce pour regarder par la fenêtre qui
donne derrière le chêne.

– Où est le chien ?

– Et Clochette ?

– Elle est là !

– Où ça ?

– Là !

– Regardez-la courir ! s'écrie Tom, tout fier. Elle file comme le vent.

– La pauvre..., murmure Janie.

– Qu'est-ce que le chien lui fera s'il l'attrape ? se renseigne Annie.

– Je ne crois pas qu'un seul chien ait réussi à attraper un chat adulte depuis que le monde existe, dit le cousin Charlie.

– Pourquoi les chassent-ils, alors ? interroge Annie.

– Comment va-t-on trouver Lily sans l'aide de Clochette ? gémit M. Mini.

L'oncle Théo frappe sa canne sur le sol.

– Je savais que cette sale bestiole nous laisserait tomber, se fâche-t-il. Je vous avais prévenus !

Corto Modeste enfile son manteau et met son chapeau.

– Bon, fait-il. J'espère que ce n'est pas trop tard...

– Où vas-tu ? lui demande sa femme.

– Trouver mon vieux putois. Avec un peu de chance, il ne sera pas encore entré en hibernation. Ce n'est que la première neige de l'hiver…

– Un putois ? s'étonne Charlie.

– Corto l'a apprivoisé, lui explique William Mini. C'est un animal merveilleux ! Il marche lentement, mais rien ne l'arrête.

– Vous avec donc décidé de nous accompagner, Corto ? devine l'oncle Théo.

– Évidemment ! Vous allez dans un coin de la forêt sauvage et plein de dangers. Vous n'y arriverez jamais à pied, et rien n'indique que votre chatte va revenir…

Il se tourne vers sa femme :

– Ma chérie, pendant que je vais chercher le putois, propose donc des biscuits et de la confiture de fraises à nos amis. Il faut qu'ils prennent des forces.

# 10

# Un plan explosif

Les Mini et leur ami Corto Modeste, juchés sur le putois, font route vers le sud-est. L'animal prend son temps. Il choisit avec soin son chemin dans la neige et se déplace encore plus lentement que Clochette.

– J'aime bien votre putois, monsieur Modeste, déclare le cousin Charlie, mais je regrette qu'il n'avance pas plus vite.

– Il ne se presse jamais, confirme Corto. J'ai déjà essayé tout un tas de ruses pour le faire accélérer, sans succès.

– C'est une brave bête, dit l'oncle Théo. Il a un caractère bien à lui. Comme je dis souvent : « Patience et longueur de temps font plus que force ni que rage. »[1]

– En tout cas, c'est une chance qu'il n'ait pas commencé son hibernation, remarque M. Mini.

À mesure que la petite troupe progresse, le bois s'épaissit. Les buissons dénudés sont de plus en plus touffus et les arbres s'enchevêtrent. Leurs branches dessinent des zigzags sur le ciel gris.

– Ce paysage me donne la chair de poule, gémit Tom. Les Minipouss de terre vivent vraiment dans un endroit sinistre.

---

1. Cette citation est extraite de la fable *Le lion et le rat* de Jean de La Fontaine.

Il se blottit contre l'oncle Théo.

– Attention, mon garçon, proteste ce dernier. Il faut que mon bras armé reste libre, en cas d'attaque.

– Celui qui s'avisera de s'en prendre à mon putois risque de passer un sale quart d'heure, prévient Corto Modeste.

Le cousin Charlie scrute les environs à la recherche du parachute de sa mère.

– Le voilà ! s'écrie-t-il soudain. Là ! Accroché à ce buisson !

– Lily n'est pas ici, constate l'oncle Théo.

– On est en plein territoire des Minipouss de terre, dit Corto Modeste. Ils l'ont probablement capturée. Allons tout de même faire un tour sous ce buisson...

Il chuchote quelques mots à l'oreille du putois, qui baisse la tête. Un par un, les Minipouss se laissent glisser à terre. Le cousin Charlie arrive le premier au parachute.

– Rien, soupire-t-il. Il n'y a même pas d'empreintes de pas. Ma mère n'a pourtant pas pu se volatiliser…

– La neige a sans doute recouvert les traces, devine Corto.

– Papa ! Oncle Théo ! Venez tous, crie Tom. J'ai trouvé quelque chose. On dirait une cheminée…

Le jeune Minipouss vient de découvrir le trou près duquel Lily a atterri.

– C'est une cheminée de Minipouss de terre, confirme Corto Modeste. Enfin un indice !

Il dégage la neige autour de l'orifice.

– Elle n'était pas facile à repérer. Comment l'as-tu trouvée, mon garçon ?

– J'ai senti quelque chose de chaud, explique Tom.

– Ça ne nous avance guère, marmonne M. Mini. L'entrée de leur maison souterraine peut être n'importe où…

L'oncle Théo dégaine son épée et piétine rageusement la neige.

– On n'a plus qu'à chercher !

– Non, fait Charlie. Ça prendrait trop de temps. Maman est en danger. Il faut agir tout de suite.

– Si on les enfumait ? propose l'oncle Théo. On pourrait boucher la cheminée…

– Bonne idée ! s'exclame le jeune homme.

– Je ne crois pas, dit Corto Modeste. Il leur suffirait d'éteindre le feu avant de sortir pour nous mettre une raclée.

– Qu'ils viennent ! rugit l'oncle Théo. En plus, s'ils sortent, on verra où est l'entrée de leur tanière. On pourra s'y précipiter pour sauver Lily.

Corto secoue la tête :

– C'est trop risqué. Forçons-les à sortir très vite, sans leur laisser le temps de se préparer.

– D'accord, mais comment ? demande le cousin Charlie.

Corto tapote fièrement une graine attachée à sa ceinture.

– J'ai ce qu'il nous faut…

– Qu'est-ce que c'est ?

– Cette graine creuse contient du concentré de musc, une substance que produit mon putois et qui a une odeur infecte, explique le Minipouss des bois. Je propose de la balancer dans la cheminée…

– Beurk ! fait Tom avec une grimace. Une boule puante…

Charlie fronce les sourcils.

– Euh… Je vous rappelle que ma mère est peut-être là-dessous.

– C'est inoffensif, précise M. Modeste. Les occupants du terrier seront juste surpris et très, très pressés de le quitter…

– On ne sait pas si Lily est avec eux, dit M. Mini. On n'est même pas sûrs d'avoir affaire à des ennemis.

– On n'est pas sûrs du contraire non plus, rappelle l'oncle Théo. Si ces crapules retiennent Lily prisonnière, le plan de Corto est excellent.

– En tout cas, il faut agir maintenant, s'impatiente Charlie. Si les Minipouss de terre ont capturé Maman, je préfère ne pas penser à ce qu'ils ont pu lui faire !

# 11

# Dans le terrier

Après que ses agresseurs l'ont fourrée dans le sac, Lily sent qu'on la soulève pour l'emporter. Plongée dans le noir, elle s'efforce de rester calme et décide de ne plus crier, afin de ne pas s'épuiser. Après quelque temps, on la dépose sur le sol.

– Vérifiez que le sac est bien fermé, les garçons, fait l'homme à la voix rauque.

Lily sent des mains s'affairer autour de ses chevilles.

– Qu'est-ce qu'on va en faire, Pierre ? demande une femme.

– Je n'en sais rien. Je n'ose pas le laisser sortir…

– Il nous faudrait une arme, dit un homme plus jeune.

– Je ne veux pas d'armes dans ce terrier ! s'emporte le prénommé Pierre. Les Pépite n'en ont jamais utilisé, et ils n'en utiliseront jamais !

Ces paroles rassurent la tante Lily, qui soupire :

— Ouf ! Des gens pacifiques.

— Ça alors, Pierre ! s'exclame la Minipouss de terre. C'est une femme !

— Hé, vous, dans le sac ! crie l'homme enroué. Qu'est-ce que vous fichiez sur notre territoire ? Les Minipouss des arbres ne sont pas les bienvenus chez nous.

— Je ne suis pas un Minipouss des arbres, proteste Tante Lily. Je m'appelle Lily Mini, et je vis dans la maison du docteur Zigger.

— Mensonges ! Aucun Minipouss ne vit chez des grandes personnes.

— Bien sûr que si ! insiste Lily. Il y a des Minipouss dans presque toutes les maisons de la vallée.

— Attention, Papa ! fait une seconde voix juvénile. C'est sûrement une ruse.

— Quelle vallée ? interroge la femme.

– Tais-toi ! intervient son mari. C'est moi qui pose les questions !

Il s'éclaircit la gorge et répète :

– Quelle vallée ?

– Monsieur Pépite, vous ne croyez pas que ce serait plus commode pour parler si vous me laissiez sortir de ce sac ? demande la tante Lily.

– Prends garde, Papa ! s'obstine le jeune homme.

– Elle n'a pas l'air bien méchante, remarque la femme.

– Un peu de silence ! Vous m'empêchez de réfléchir ! se fâche Pierre Pépite. Votre mère a raison, les garçons. Elle n'a pas l'air dangereuse.

– Moi, je me méfierais quand même, marmonne l'un des fils.

– Rappelle-toi comme elle a crié quand on l'a capturée, dit son frère.

– Vous m'avez fait peur, se défend Lily.

– C'est moi qui commande, ici ! déclare Pierre Pépite. Et je maintiens qu'elle n'a pas l'air méchante. Ouvrez le sac !

# 12

# Des hôtes craintifs

En sortant du sac, Lily se retrouve nez à nez avec la famille Pépite : des Minipouss qui vivent sous la terre, dans un appartement aménagé tout au fond d'un terrier de lapins. Paisibles et craintifs, ils s'entendent parfaitement avec leurs voisins à fourrure.

L'entrée du terrier est située sous le buisson où s'est accroché le parachute de Lily. L'habitation des Pépite est un peu plus loin, sous un grand érable dont ils ont utilisé les racines pour façonner leur mobilier. Une cheminée réchauffe chaque pièce et permet d'évacuer l'humidité du sous-sol.

– C'est vrai qu'elle ne ressemble pas à un Minipouss des arbres, remarque Pierre Pépite.

Éblouie par la lumière des chandelles qui éclairent la pièce, Tante Lily cligne des yeux. Elle observe ses ravisseurs à tour de rôle.

Pierre, le père, la dépasse de cinq bons centimètres. Il est plus grand que William Mini et très mince. Son menton est orné d'une barbiche.

– C'est peut-être un Minipouss des arbres qui s'est déguisé pour nous tromper, grommelle l'aîné des fils Pépite, qui est encore plus grand et plus maigre que son père.

– Je vous ai déjà dit que je ne vivais pas dans un arbre, persiste Lily. Vous voyez bien : je porte mon uniforme d'infirmière.

– Alors, pourquoi avez-vous jeté de la neige dans notre cheminée ? interroge Pierre Pépite.

– C'était un accident, s'excuse Lily.

Elle sourit.

– Je sais que ça paraît idiot, mais j'ai atterri avec mon parachute sur votre cheminée.

Les Pépite se regardent, surpris.

– Vous êtes tombée du ciel ? demande M. Pépite, incrédule.

– Les Minipouss ne volent pas, affirme le fils cadet.

– Si, certains volent ! rectifie Lily. Mon fils, par exemple. Je suis tombée de son planeur pendant la tempête.

M. Pépite fronce les sourcils, dubitatif :

– C'est vrai, ça ?

– Vous avez parlé d'une vallée, intervient Mme Pépite. Où est-elle ?

– Je vois que j'ai beaucoup de choses à vous expliquer, soupire Lily. Si on s'asseyait ?

Lily a besoin de l'aide des Pépite pour rejoindre la maison des Legrand. Seulement, elle voit bien qu'ils ont peur d'elle. Elle décide donc de gagner leur confiance en répondant patiemment à toutes leurs questions.

Quand vient le matin, les Pépite sont enfin rassurés sur son compte. Lily, elle aussi, a appris des choses les concernant. Ces gens discrets et méfiants connaissent mal le monde qui les entoure. Ils craignent les Minipouss qui habitent dans les arbres, car ces derniers sont armés et les prennent en chasse dès qu'ils les voient. Les Pépite sont stupéfaits d'apprendre que certains Minipouss sont assez courageux pour loger dans les maisons des grandes personnes. De son côté, Lily découvre que de nombreuses familles de Minipouss vivent dans cette partie de la forêt, dans des logements souterrains.

– J'aimerais bien les rencontrer, dit-elle.

– Ce n'est pas possible, répond Pierre Pépite. La prochaine réunion n'est que dans quinze jours.

Il lui raconte que les Minipouss de terre se retrouvent une fois par mois, dans une grande salle souterraine. Il arrive également qu'ils se rendent visite dans leurs terriers, mais c'est très rare. Le jour de la réunion, les Minipouss discutent, dansent et jouent du matin jusqu'au soir.

Pendant que M. Pépite parle avec Lily, sa femme prépare le petit déjeuner en tâchant de ne pas perdre une miette de leur conversation. Puis tous se régalent de flocons d'avoine sauvage, agrémentés de raisins secs et de miel.

Quand ses hôtes semblent tout à fait détendus, la petite infirmière se jette à l'eau :

– Aimez-vous les bébés, monsieur Pépite ?

– Ah, oui. J'adore les bébés !

Son épouse hoche vigoureusement la tête pour signifier qu'elle les aime aussi.

– Je vais devoir vous quitter bientôt, enchaîne Lily. Je dois aller aider ma cousine Hélène Mini à mettre son bébé au monde.

– C'est chez elle que vous alliez en avion ? demande Pierre Pépite.

– Oui, confirme Lily. Hélène est sur le point d'accoucher et elle a besoin de moi. Pensez-vous que vous pourriez m'accompagner ?

Pierre Pépite se lève brusquement et se met à arpenter la pièce.

– Je ne crois pas ! lâche-t-il enfin. On ne quitte jamais les bois. Ce ne serait pas prudent.

– C'est beaucoup trop loin, madame Lily, ajoute son fils aîné.

– On risquerait de se faire capturer par les Minipouss des arbres, grommelle le plus jeune. Et de se faire tuer...

– Si une future maman a besoin d'aide, nous devons y aller, déclare Mme Pépite.

– Chut ! gronde M. Pépite. Va donc laver la vaisselle, pendant que je réfléchis.

# Course-poursuite

– Écoutez ! s'écrie Tom Mini. J'entends des voix dans la cheminée.

Le cousin Charlie se dépêche d'approcher son oreille de l'ouverture.

– Qu'est-ce qu'ils disent ? lui demande l'oncle Théo.

– Chut ! fait Charlie en posant un doigt sur ses lèvres.

Les autres Minipouss se penchent et reconnaissent la voix de Lily. Ils ne distinguent pas tout ce qu'elle raconte.

Quand la petite infirmière demande aux Pépite de l'accompagner chez les Mini, ils entendent seulement : « S'il vous plaît, aidez-moi. »

– C'est Lily ! souffle l'oncle Théo. Elle appelle au secours ! Ne restons pas plantés là.

– Chut ! insiste M. Mini.

Quand le fils cadet de Pierre Pépite répond à la tante Lily qu'ils risquent de se faire tuer par les Minipouss des arbres, les Mini entendent seulement : « madame Lily », « Minipouss des arbres », « tuer »…

– Malédiction ! s'écrie l'oncle Théo. Ces brutes veulent la supprimer !

Le cousin Charlie s'empare du pétard que Tom a apporté.

– Il faut les en empêcher ! hurle-t-il.

Il frotte son allumette contre un caillou et allume le projectile.

– Où est la boule puante ?

Corto Modeste tend la graine au cousin Charlie, qui la balance dans la cheminée en même temps que la fusée.

– Tu es fou, Charlie ! s'exclame M. Mini. Ta mère est là-dessous, quand même…

Alors, un grand *bang !* retentit. C'est le pétard qui vient d'exploser dans la cheminée des Pépite.

– Attention, ils ne devraient pas tarder à sortir ! prévient M. Modeste.

Quelques secondes plus tard, Tom donne l'alerte :

– Ils sont là. Ils s'échappent sur des lapins !

– Ils emmènent Lily ! crie l'oncle Théo.

– Tous sur le putois ! ordonne Corto. On va les rattraper.

Les Minipouss courent tant bien que mal dans la neige pour rejoindre leur monture et se hissent sur son dos.

– En avant ! crie M. Modeste à l'animal.

Le putois se met en marche d'un pas tranquille. Le cousin Charlie frappe son poing contre sa paume.

– C'est fichu ! gémit-il. Cette tortue ne les rattrapera jamais !

– Il faudra bien qu'ils s'arrêtent un jour, dit Corto Modeste. On n'a qu'à suivre leurs empreintes.

Après des heures de voyage, les Mini et Corto Modeste s'aperçoivent avec stupéfaction que les traces de pattes de lapins les conduisent à la maison des Legrand.

– Je ne comprends pas, bredouille M. Mini. Qu'est-ce qu'ils fabriquent ici ?

– À mon avis, dit l'oncle Théo, les Minipouss de terre sont venus attaquer notre famille pendant notre absence. Lily devait se douter que les hommes partiraient à sa recherche en laissant les femmes seules. Ils l'ont peut-être obligée à parler…

– Tu crois ? fait M. Mini, dubitatif. Ça me paraît un peu compliqué…

– Jamais Tante Lily n'aurait mis les Mini en danger, affirme Tom.

– Entrons, on sera fixés, suggère Charlie.

Les Minipouss laissent le putois derrière un arbuste et entrent dans la maison des Legrand par une porte secrète. L'oncle Théo sort son épée et s'élance.

– On va les prendre par surprise ! annonce-t-il. Ils vont regretter de s'être aventurés chez nous !

M. Mini ne peut s'empêcher d'être un peu inquiet. Il pénètre dans l'appartement, l'arme au poing.

Le couloir est désert.

– Fouillez partout ! braille l'oncle Théo. Vite !

Les cinq Minipouss courent de pièce en pièce sans trouver âme qui vive. Quand il ouvre enfin la porte de sa chambre à coucher, M. Mini manque de tomber à la renverse.

Allongée dans le lit, sa femme tient un bébé endormi dans ses bras. La tante Lily, GrandMa, Lucie, M. et Mme Pépite, ainsi que leurs deux fils, sont debout près d'elle. Tout le monde sourit aux anges.

La petite infirmière pose un doigt sur ses lèvres.

– Chut ! fait-elle. Ne réveillez pas le bébé !

– Mais…, souffle M. Mini. On croyait que…

– Will, l'interrompt Mme Mini, je te présente la famille Pépite. Sans eux, Lily ne serait jamais arrivée à temps pour mettre au monde notre petite Betty.

– Waow ! fait Tom. C'est une fille !

Lucie pouffe de rire :

– Viens, Tom. Viens voir comme elle est minuscule !

**Retrouve la famille Mini
dans toutes ses aventures !**

Achevé d'imprimer par Clausen & Bosse
(Allemagne) en août 2009
N° d'impression :